P9-BIA-631

SACHA DE FRISCHING

J'élève mes animaux sans maman.

ILLUSTRÉ PAR CATHERINE NOUVELLE

Sylvie Messinger

du même auteur :

LE JARDINAGE SANS MAMAN
LA CUISINE EXOTIQUE SANS MAMAN
LES DESSERTS SANS MAMAN

A Cossack
un ami, un vrai...
...à quatre pattes.

© Sacha de Frisching et Catherine Nouvelle, 1982
© Editions Sylvie Messinger, 1982

Sommaire

Conseils pratiques.

Il y a des animaux domestiques de toutes sortes et de toutes tailles : à quatre pattes, à plumes ou avec des nageoires.
C'est difficile de savoir quel animal choisir, car chaque espèce a des besoins très différents.

Garder un animal à la maison est une grande responsabilité parce qu'une fois qu'il est chez toi, il faut que tu t'en occupes régulièrement.

ALORS

Avant de choisir, réfléchis bien !

Quel espace peux-tu lui offrir chez toi ?
Rends-toi déjà compte de la taille d'une cage, d'un aquarium, d'un panier, etc.
Seras-tu toujours disponible
pour le promener ?
pour le nourrir ?
pour le nettoyer ?
pour le soigner ?
Pourras-tu le faire garder pendant les vacances ?

Le jour où tu achèteras ton animal, pense à emporter une boîte avec un couvercle percé de trous d'aération pour faciliter le transport. (Sa taille dépend de la grandeur de l'animal.) Déjà intimidé et dépaysé par ce premier contact, ton animal s'y sentira plus en sécurité.

Sache aussi que tu es responsable de ton animal envers les autres, les voisins; il ne doit pas être une gêne ou un danger pour eux. N'oublie pas de le faire assurer contre les dommages qu'il pourrait causer.

Avant de partir en voyage à l'étranger avec ton animal, renseigne-toi sur la réglementation du pays où tu vas.

Les animaux peuvent également voyager seuls en train, bateau ou avion.

Un animal ne s'achète pas forcément. Tu peux en adopter un en t'adressant à une « société de protection », ou bien, tout simplement en trouver un par hasard, et le recueillir.

Si tu dois donner un médicament à ton animal, demande de l'aide à une grande personne : c'est souvent plus facile de le faire à deux.

Et surtout, n'oublie pas de trouver un bon vétérinaire, près de chez toi si possible. Il répondra à toutes tes questions, te donnera des conseils, fera des vaccins et soignera ton animal en cas de maladie. Renseigne-toi sur l'emplacement de son cabinet, les heures d'ouverture et garde bien précieusement son adresse et son numéro de téléphone.

RÈGLE D'OR :

LAVE-TOI TOUJOURS SOIGNEUSEMENT LES MAINS QUAND TU AS FINI DE SOIGNER OU DE NETTOYER TON ANIMAL.

LES ESPÈCES.

Rex

Hollandais

Nain

Angora

Chinchilla

Anglais

Polonais

Le lapin.

LE LOGEMENT.

Pour s'occuper de ton lapin il faut d'abord préparer son logement.

En règle générale, on installe un lapin à l'extérieur, dans un « clapier ».

Tu peux en acheter un dans un magasin spécialisé, ou bien aider Papa à en fabriquer un.

Le clapier doit être suffisamment grand, bien aéré, avec un toit en pente et deux compartiments : un pour la journée et l'autre pour la nuit.

Le lapin doit avoir assez de place pour pouvoir s'allonger complètement dans le compartiment où il dort.

En été, par contre, le lapin sera ravi de profiter des jours ensoleillés si tu lui fais un enclos grillagé, aux parois assez hautes, où il pourra brouter l'herbe tranquillement. Toutefois, habitue-le petit à petit à manger de l'herbe verte pour qu'elle ne le rende pas malade.

Un lapin peut également vivre dans la maison. Dans ce cas, mets-le dans un clapier plus petit et portatif.

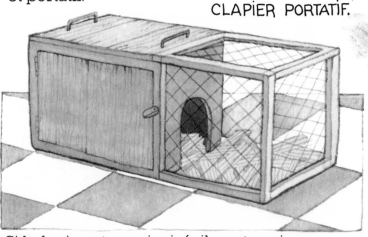

CLAPIER PORTATIF.

CLAPIER FIXE.

Il est très important que le clapier résiste au mauvais temps (il ne doit pas prendre l'eau). Pose-le sur des briques ou des pieds, et surtout, trouve-lui un emplacement à l'abri des courants d'air.

Si le lapin est apprivoisé, il peut avoir un panier ou une corbeille comme un chien, et un bac avec de la sciure où il fera ses besoins comme un chat.

LES COURANTS D'AIR ME SONT FATALS !...

DANGER
NON
COMESTIBLE

Mais attention aux fils électriques et téléphoniques : il les adore !

L'ENTRETIEN DU CLAPIER.

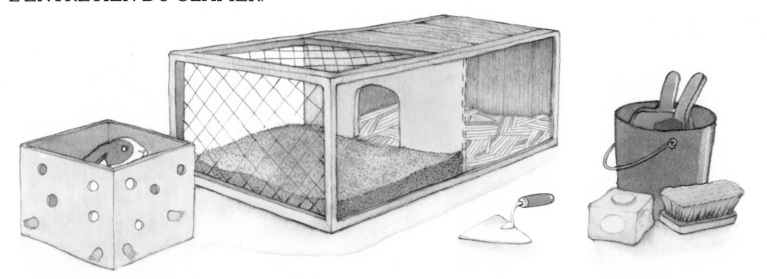

Mets une bonne couche de paille ou de foin dans le compartiment où il dort (ou des vieux journaux déchiquetés, c'est tout aussi bien). Sur le sol de l'autre compartiment, étale des copeaux ou de la sciure de bois.
Tous les jours, change les copeaux, ôte les saletés et les restes de nourriture.

Une fois par semaine, lave à fond le clapier à l'eau savonneuse.

Pour pouvoir faire le ménage, mets ton lapin dans une grande boîte percée de trous et dont le fond sera couvert de paille.

Change la litière 1 fois par semaine.

LES SOINS.

Le lapin à poils longs a besoin d'être peigné doucement avec un peigne métallique au moins 1 fois par semaine.

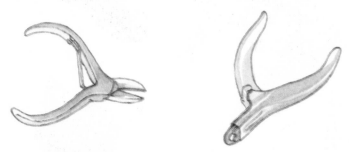

DEUX SORTES DE COUPE-ONGLES.

Les ongles de ton lapin ont besoin d'être coupés par le vétérinaire de temps en temps.

Si ton lapin a des poils courts, il fera lui-même sa toilette.

Une fois par mois, frotte ton lapin avec une poudre insecticide pour chats.

Un lapin peut vivre de 8 à 10 ans.

Pour soulever ton lapin, prends-le d'une main par-dessous et de l'autre, saisis la peau de sa nuque, à l'endroit où elle est lâche.
Il ne faut surtout pas l'attraper par les oreilles.

Et si tu pars en vacances, demande à un ami de s'en occuper.

L'ALIMENTATION.

Trouve-lui une assiette creuse en céramique, assez lourde pour qu'elle ne se renverse pas.

Il lui faut également un abreuvoir, c'est-à-dire une bouteille spéciale que l'on suspend au grillage, d'où l'eau tombe goutte à goutte. Change l'eau très souvent.

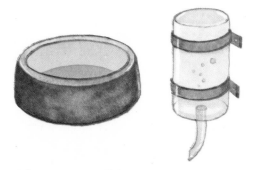

Donne-lui à manger 2 fois par jour et essaie de varier ses menus.

Ses aliments favoris sont :
la laitue (en petite quantité); les pommes de terre bouillies; les carottes, les choux, les navets crus; les pissenlits, le cresson, le trèfle, les épinards; les céréales comme l'orge, le maïs, le blé, le pain complet sous forme de chapelure.

Comme dessert : des pommes ou bien des feuilles de fraisier ou de framboisier.

NE LUI DONNE JAMAIS : des feuilles de betteraves ou d'oseille, des boutons d'or ou des primevères.

Ne lui donne pas trop à manger : les lapins sont très gourmands !

QUELQUES RENSEIGNEMENTS UTILES.

Le meilleur moment pour acheter ton lapin est quand il a environ 10 semaines.
Si tu en as l'occasion, visite une exposition agricole; tu verras toutes les races de lapins à la fois et tu pourras mieux choisir.

La femelle du lapin s'appelle « lapine ».

Les lapines ont tendance à être plus dociles et s'entendent bien entre elles dans le même clapier.

Les lapins sont des rongeurs; ce sont des animaux très paisibles, souvent timides.
Le seul son qu'ils émettent est une sorte de grognement pour se parler entre eux.

Quand ils sont en alerte le bout de leur nez se contracte nerveusement.

Les maladies dont peut parfois souffrir le lapin sont des affections de la peau, des abcès, la myxomatose, ou ce que l'on appelle « le gros ventre », et qui est provoqué par un parasite attrapé dans des herbes contaminées ou par un changement de régime trop brusque.

S'il te semble malade pendant plus de 24 heures, emmène-le chez le vétérinaire.

12

un Turc

un Sacré de Birmanie

un Chinchilla

un Persan

l'Abyssin

Les chats à poils courts

le Siamois

le Burmèse

le Chartreux

le Bleu-Russe

Le chat.

On dit souvent que les « chats de gouttière » n'ont pas de race, mais c'est faux : ils appartiennent à la race des Chats Européens.

POUR S'OCCUPER DE TON CHATON.

Tout d'abord, choisis un carton ou une petite caisse, une corbeille ou un panier d'osier que tu installes à l'endroit où ton chaton passera ses nuits.

Garnis ce « lit » avec une couche de papier journal, puis un coussin, en tissu plastifié ou avec une housse lavable, ou bien une vieille couverture, un pull-over ou une grande pièce de coton.

Il est très important de laver cette garniture 1 fois par semaine.

Donne-lui un tout petit peu à manger 4 fois par jour.

A l'âge de 2 mois il mange : des petits pots pour bébé auxquels tu auras ajouté des céréales cuites (flocons d'avoine, semoule de blé), des purées de légumes (carottes, poireaux, endives) de la viande hâchée ou du poisson cuit écrasé et, de temps en temps, des petits dés de lard frais.

Augmente peu à peu les portions jusqu'à ce qu'il ait 8 mois, âge où il est adulte et ne mange plus que 2 fois par jour.

Tu peux lui donner du lait s'il le supporte, mais laisse toujours de l'eau fraîche à sa portée.

Le chaton est facile à dresser. Il a besoin d'un bac en émail ou en plastique, d'environ 30 cm × 30 cm, profond de 5 ou 6 cm.
Pose-le toujours au même endroit.
Garnis-le de sciure, de sable ou d'une litière achetée dans le commerce.

Pour que ton chaton devienne vite propre, parfume son bac avec de la girofle, de la lavande ou de la violette.
Comme il est très sensible aux odeurs et que celles-ci sont ses préférées, il viendra plus souvent dans son bac.

Nettoie son bac tous les jours et surtout après chaque « grosse commission ».

Apprends à ton chaton à « faire ses griffes »,
c'est-à-dire à les entretenir sur un bloc à
griffer que tu trouveras dans le commerce.

Demande au vétérinaire de t'apprendre à lui
couper les griffes.
Tu pourras par la suite le faire toi-même de
temps en temps.

Tous les chatons adorent jouer : ils sont
curieux de nature et un chat en bonne santé
joue toute sa vie.
En jouant, il prend de l'exercice, ne s'ennuie
pas et devient plus sociable.

Choisis des jouets incassables et non toxiques
qu'il ne peut pas avaler.

Donne-lui par exemple :
une vieille bobine,
une balle de ping-pong,
de gros bouchons,
du papier froissé,
une petite boule de laine.

Attache un morceau de papier à un bout de
ficelle et traîne-le derrière toi.

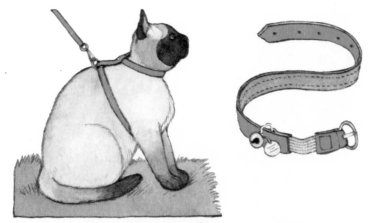

Si tu veux habituer ton chat à porter un collier
avec une médaille d'identité, fais-le dès qu'il
arrive chez toi.
Tu peux aussi mettre une petite laisse à
certains chats, comme les Siamois.

Ton chaton adorera courir après et sauter en
l'air pour l'attraper.
Essaie d'inventer toi-même d'autres jeux.
Attention au coffre à jouets de ta chambre : il
risque d'avoir un petit visiteur !

A l'âge de 2 mois et demi, vérifie chez ton
vétérinaire que ton chaton a été vacciné
contre le typhus, le coryza et qu'il a eu son
vaccin antirabique.
Il faut faire un rappel chaque année.

Devenu grand, ton chaton ne mange que 2 repas bien équilibrés par jour.
La quantité varie selon sa taille, mais veille bien à ce qu'il ne prenne pas trop de poids.

Il mange: viande, poisson, abats, légumes, aliments secs (pâtes ou riz).
Limite les aliments en boîte à 2 ou 3 fois par semaine.
Ne lui donne pas trop souvent du lait, ou alors, coupé d'eau.
De temps à autre, ajoute à sa nourriture 1 cuillerée à café d'huile de maïs crue, des vitamines et du calcium liquides.

Il a besoin d'un peu d'herbe pour faciliter sa digestion.
Si tu habites la campagne, il la trouvera tout naturellement.
Si tu habites en ville, tu peux acheter facilement de l'herbe à chat vendue dans le commerce.

ATTENTION : Ne donne jamais d'aliments à arêtes.
Fais sa vaisselle en jetant les restes dès que le repas est fini.
Les chats sont plutôt gourmets que gourmands, et ils sont d'une propreté méticuleuse.

L'ANATOMIE.

Tous les chats ont à peu près le même aspect : les pieds arrières ont 4 doigts, les pieds avant en ont 5.

Le chat a des yeux très sensibles à la lumière : la nuit, la pupille s'ouvre très grand et pendant la journée elle se referme en fente verticale.

Ses moustaches, qui ne doivent jamais être coupées, sont pour lui une sorte de radar indispensable pour chasser.

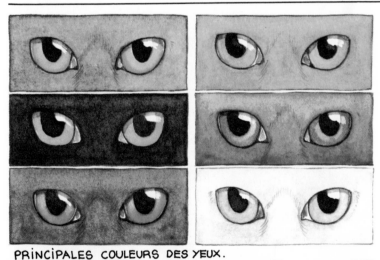

PRINCIPALES COULEURS DES YEUX.

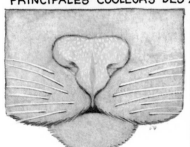

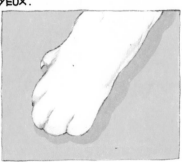

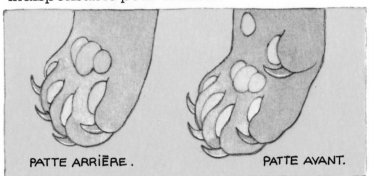

PATTE ARRIÈRE.   PATTE AVANT.

17

SON PORTRAIT.

Il ronronne : c'est un signe de satisfaction
Il remue doucement la queue : il veut jouer
Il frotte sa tête contre toi :
il montre son affection
Il miaule : il demande quelque chose
Il grogne, crache et ses poils se dressent sur le
dos : il se sent en danger ou il est en colère.

On dit souvent que le chat est plus réservé et
moins démonstratif que le chien, mais un chat
élevé avec soin et tendresse devient un ami
fidèle et très affectueux.

LES SOINS.

Ton chat passera des heures et des heures à
faire sa toilette.
On pourrait presque penser que c'est un
grand coquet !
En se léchant, il avale des poils qui risquent de
former de petites boules dangereuses dans
son intestin; c'est la raison pour laquelle tu lui
donnes cette herbe à chat qui sert de purgatif.

Pour porter ton chat, ne le soulève jamais par
la peau du cou.
Prends-le par-dessous et pose-le sur ton
avant-bras ou sur l'épaule.

Il faut brosser chaque jour un chat à longs
poils.
Utilise une brosse dure en sanglier et un
peigne en métal pour aider au démêlage.
Brosse, dans le sens des poils, le cou, le dos et
puis les côtés.
Pour terminer, brosse de nouveau à rebrousse
poil.
Un brossage tous les 2 ou 3 jours suffit pour les
chats à poils ras, avec une brosse un peu plus
souple.
Au moment de la mue, c'est-à-dire la saison où
il perd ses poils, brosse-le plus souvent.

En principe, les chats n'aiment pas l'eau, même s'ils savent nager.
On dit qu'ils sont frileux de nature; donne-lui un bain uniquement quand il est vraiment très sale, en le séchant soigneusement tout de suite après avec un séchoir.

Par contre, tu peux lui faire de temps en temps un shampoing sec (spécial chat) :
saupoudre le produit sur une serviette; enveloppe le chat dedans (sauf la tête), et frotte-le avec;
ensuite, fais un bon brossage.
Pendant sa toilette, regarde bien si tu vois des poux ou des puces.
Si nécessaire, ton vétérinaire te donnera une lotion antiparasite.

PUCE   POU   TIQUE

Tu dois emmener tout de suite ton chat chez le vétérinaire quand il présente ces symptomes :
perte d'appétit,
diarrhée,
vomissements,
chute anormale des poils,
éternuements persistants,
immobilité dans un coin.

EN VOYAGE.

Tu peux te rendre sans difficulté dans plusieurs pays avec ton chat, dès lors que tous ses papiers et certificats sont en règle.
Les chats sont des aventuriers et les sorties sont très bonnes pour leur équilibre.

Une fois par semaine, nettoie doucement ses oreilles et ses yeux avec un coton.
Pour rendre son pelage plus brillant, frictionne-le avec un gant de toilette légèrement imbibé d'eau vinaigrée.

EAU VINAIGRÉE

Un chat bien soigné peut vivre jusqu'à 15 ans.

Il existe dans le commerce, des paniers et des sacs de voyage conçus pour eux.
Si ton chat souffre du « mal des transports », donne-lui une pilule antivomitive.
Une dernière chose : n'oublie pas que certaines personnes autour de toi peuvent être allergiques aux chats. Renseigne-toi avant d'arriver à deux.

Qu'est-ce que la castration et la stérilisation ?

Ce sont des moyens sans risques pour empêcher la reproduction.
Il est recommandé d'y avoir recours car les chats se reproduisent très facilement.

Le chat est castré par le vétérinaire à partir de 6 mois.
On lui enlève les testicules après l'avoir endormi.
De retour à la maison, nettoie bien son bac et remplace pendant 3 jours la sciure par du papier journal pour qu'il n'y ait pas de risque d'infection.

Pour la chatte, la stérilisation est une opération plus longue, sous anesthésie (une piqûre qui endort). On lui enlève les ovaires.

Il faut laisser la chatte tranquille après son opération et ne pas lui donner à manger aussitôt.
Une chatte stérilisée a tendance à grossir, aussi veille à ce qu'elle ait un régime équilibré.

C'EST ADORABLE D'ACCUEILLIR UN CHATON, MAIS N'OUBLIE PAS QU'IL AURA BESOIN DE TOI TOUS LES JOURS DE SA VIE.

La souris.

La souris est un animal très intelligent, facile à apprivoiser, très économique et qui a une durée de vie de 18 mois à 2 ans.

SOURIS ALBINOS   CHINCHILLA

Il y a plus de 70 variétés de souris. La plus connue est la souris blanche ou albinos.
Elle a des yeux roses (parfois noirs) et c'est celle que l'on utilise le plus souvent pour les expériences scientifiques.

On trouve aussi des souris noires au ventre blanc, des gris-métallisé que l'on appelle « chinchillas », et des souris hollandaises, blanches avec des taches de couleur.
Et dans les expositions de souris, on en trouve de toutes les couleurs : jaune, marron foncé, lilas et même rouge !

LA CAGE.

Les souris se reproduisent très souvent, très vite et en grande quantité.
Ce sont des joueuses et des acrobates.
Elles adorent la compagnie.
Il est préférable (pour empêcher une invasion) de garder un couple de 2 femelles.
2 mâles ont tendance à se battre.

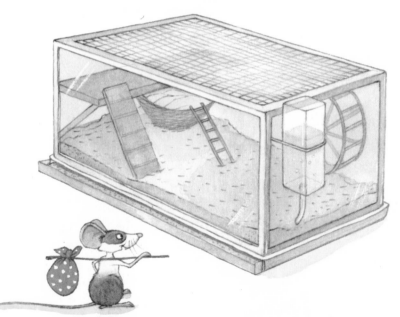

Pour 2 souris, il faut une cage d'environ 50×30×30 centimètres.
La cage en plastique est plus facile à nettoyer que celle en métal.
Il faut un plateau à tiroir que tu garnis de copeaux de bois ou de paille.

La cage doit être placée dans un endroit sec, mais pas directement au soleil, et à l'abri des courants d'air.
Tes souris vont passer presque toute leur vie en cage; il faut donc l'aménager avec :
une étagère,
des échelles,
un tourniquet,
un nid garni de papier mâché ou de vieux chiffons

Tu verras, elles sont pleines d'énergie et vont la dépenser en grimpant et en jouant.
Rien ne t'empêche de les laisser sortir de la cage, mais attention : Ferme bien la pièce.

L'ALIMENTATION.

Les souris ont toujours faim et mangent très vite.

Il faut leur donner matin et soir :
des grains de blé ou d'orge,
de l'avoine,
un peu de pain trempé dans du lait ou bien du pain sec,
un peu de pâtes de temps en temps ou du fromage.

Comme dessert, elles aiment :
les noix,
le miel ou la mélasse,
ou un quart de pomme.

L'ENTRETIEN.

Il est indispensable de changer la litière tous les jours pour éviter les mauvaises odeurs.
Nettoie à fond la cage 2 fois par semaine, avec de l'eau chaude et du savon de Marseille.
Sèche bien tous les éléments de la cage avant de les remettre en place.

Au milieu de la journée elles apprécieront de la verdure :
de la salade,
des carottes,
du céleri.

Donne-leur toujours de l'eau dans un abreuvoir à gravité et enlève tous les restes de nourriture en fin de journée.
Pour leur donner du calcium et éviter que leurs dents deviennent trop longues, mets un os de seiche dans la cage.

SON PORTRAIT.

A priori, la souris est timide, et quand elle a peur ou se sent en danger, elle se défend en mordant.
A part cela, elle est très éveillée, curieuse et active.

Elle peut faire la fête toute la nuit !
Elle aime bien qu'on la prenne souvent dans les mains, mais pas longtemps.

LES MALADIES.

Les souris sont robustes et généralement en bonne santé.
Bien soignées, logées dans une cage appropriée, et bien nourries, elles ne tomberont guère malades.

Pour la manipuler, il faut la saisir par la queue, près de la base, et aussitôt la poser sur ton autre main.
Ne la serre pas et ne lui couvre pas la tête : cela risque de l'effrayer.

Voici quelques chiens de différentes races :

Collie

Fox-terrier

Scottish-terrier

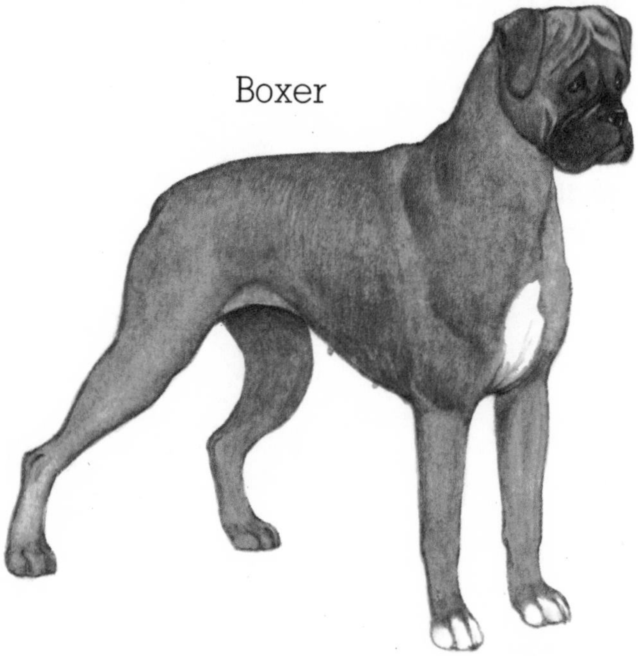

Boxer

Cocker

Spitz

Whippet

Basset artésien normand

Le chien.

Il existe plus de 400 races de chiens qui varient selon la taille (donc l'appétit), le tempérament et la fourrure.

LE CHOIX.

Essaie de choisir un chien qui ne risque pas d'être trop grand pour ta maison ou pour ton budget.

On peut classer les chiens de race en 10 groupes :

Les chiens de berger
Les chiens de garde
Les terriers
Les teckels
Les chiens courants pour gros gibier
Les chiens courants pour petit gibier
Les chiens de chasse
Les chiens de races britanniques
Les chiens d'agrément ou de compagnie
Les lévriers

Il existe aussi des chiens sans race : les « bâtards ».
Souvent plus robustes, tout aussi sympathiques, ils ne coûtent pas cher, alors que les animaux de race pure, avec un « pedigree » (arbre généalogique), atteignent souvent des prix très élevés.

L'ANATOMIE.

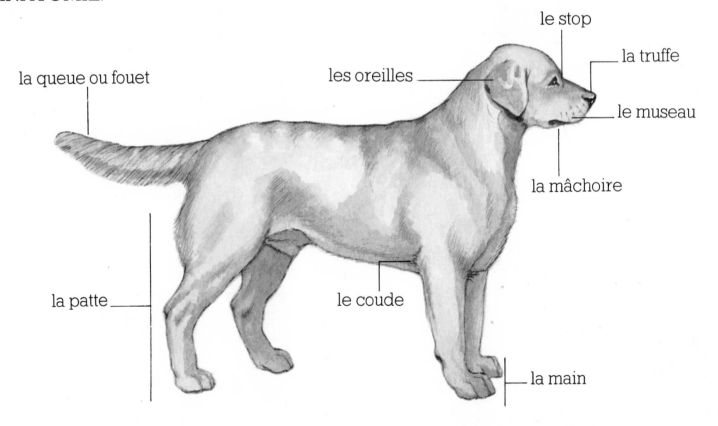

la queue ou fouet

le stop

la truffe

les oreilles

le museau

la mâchoire

la patte

le coude

la main

Labrador

LE CHIOT.

Ton chiot a entre 2 et 3 mois quand il arrive chez toi : c'est un nourrisson. Il lui faut, au début, 4 à 5 repas par jour.

LE MENU.

Du lait tiède avec un œuf battu : 3 cuillerées à soupe 3 fois par jour. 2 cuillerées à café de viande crue hâchée de bonne qualité, agrémentée de carottes et de riz très cuits.

Tous les 2 jours : 1 cuillerée à café de sirop vitaminé.

Les deux ennemis de ton chiot sont le froid et l'excès de nourriture :
pas de sucre,
pas de pain trempé.

Rajoute à sa nourriture des vitamines et du calcium liquides que tu achèteras chez le pharmacien.

Dès que ton chiot commence à perdre ses dents de lait, donne-lui la tête d'un os de veau ou de bœuf cru.

Lorsqu'il grandit, passe le nombre des repas de 5 à 4, puis 3, puis 2.
A l'âge adulte, 1 repas par jour suffit.

A 18 mois, ton chien est devenu adulte.

Tous les chiens sont carnivores, c'est-à-dire qu'ils aiment la viande.
Le tiers de son repas doit être composé de viande crue ou grillée : bœuf, cheval, abats.

Pour accompagner la viande donne-lui :
du riz bien cuit ou des céréales,
des légumes verts cuits,
un peu de carottes râpées,
du poisson bien cuit — mais attention aux arêtes,
un œuf battu par semaine.
Une pincée de sel dans sa pâtée est bonne pour lui, ainsi que de la levure de bière, du calcium, des vitamines et de l'huile de maïs crue.

N'oublie pas son os de veau !
Ne donne que 2 fois par semaine des aliments secs ou en boîte, en respectant bien les quantités indiquées sur l'emballage.

NE PAS DONNER :
des pommes de terre (surtout des frites),
des pâtes,
des gâteaux,
des féculents,
du sucre.

Ton chien doit toujours avoir à sa portée une
écuelle d'eau fraîche que tu changeras
plusieurs fois par jour.

Souviens-toi que tous les chiens risquent de
devenir méchants lorsqu'on les dérange
pendant qu'ils mangent.

SON COIN.

Choisis un coin bien à lui, que tu ne changeras
pas.
Garnis-le avec un coussin ou une couverture.
Tu peux lui donner une caisse, une corbeille
ou un panier en osier; veille à ce que ce soit
toujours bien propre.

LA PROPRETÉ.

Pose, toujours au même endroit dans la
cuisine, une feuille de papier journal avec de
la sciure dessus.

Surveille ton chiot, et quand tu vois qu'il
commence à s'accroupir, porte-le vite sur son
journal.
Encourage-le affectueusement.
Donne-lui une récompense quand il a fait ce
qu'il faut.

VILAIN CHIEN !

S'il oublie, gronde-le d'une voix sévère.
Il devinera très vite ce que tu attends de lui.

Sors-le après chaque repas pour qu'il s'habitue
à faire comme un grand.

COLLIER, LAISSE ET MÉDAILLE.

Mets-le de temps en temps en laisse et fais-lui faire lentement le tour de la maison.

> ÇA SUFFIT POUR AUJOURD'HUI !

Mets-lui un collier dès le premier jour.
Un collier de chat suffit lorsqu'il est tout petit.
Au début, il essaiera de l'enlever, mais en quelques jours il y sera habitué.

Dans plusieurs pays, il est obligatoire de mettre au chien une petite médaille, accrochée à son collier, avec son nom, l'adresse et le numéro de téléphone de ses maîtres.

> VOUS HABITEZ DANS MON QUARTIER !

C'est une bonne idée et cela aidera à le retrouver s'il se perd un jour.
Tu peux aussi le faire tatouer.

L'OBÉISSANCE.

Tout d'abord, apprends-lui son nom : il doit venir quand tu l'appelles.
Ensuite, habitue-le à obéir à des ordres.
Le meilleur moyen de le dresser, c'est la récompense.
Il faut être ferme, mais patient. Apprends-lui une seule chose à la fois, un petit peu chaque jour.

> BIEN ! BON CHIEN !

Pour le punir de ses mauvaises habitudes, gronde-le d'un ton fâché.
Tu peux aussi lui donner une petite tape, avec un journal ou sa laisse, jamais à main nue.
Surtout, ne frappe pas fort.
Ton chien comprend très bien ce que tu veux et ne demande qu'à te faire plaisir.

En principe, un chien est capable d'apprendre une trentaine de mots, comme :
assis
couché
ici
debout
au pied
ne bouge pas
viens
stop
etc.

> ASSIS, DEBOUT ICI, AU PIED !

SON PORTRAIT.

Il remue la queue ou il aplatit les oreilles :
c'est un signe de plaisir ou d'excitation
Il aboie : c'est un avertissement
Il grogne : il se sent menacé ou il est en colère
Il donne la patte ou des coups de museau :
c'est sa façon de demander ton attention.
N'oublie pas que son comportement dépend
de la manière dont tu le traites.

LES SOINS.

Il est nécessaire de sortir ton chien, quel qu'il
soit : il n'y a rien de mieux pour sa santé.
Fais-lui faire de longues promenades : c'est sa
gymnastique à lui !

LE BROSSAGE.

Brosse-le 1 ou 2 fois par semaine.

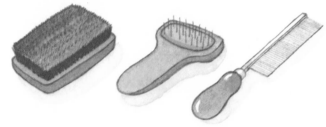

Pour un chien à poils longs, utilise une brosse
dure, et pour un chien à poils ras et courts, une
brosse souple.

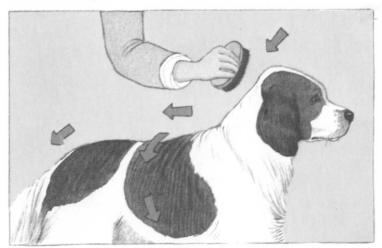

Brosse-le de la tête vers la queue et du dos
vers le ventre.

Mets la main sous son ventre pour l'empêcher
de s'asseoir.

Si ton chien s'agite, une amie peut le tenir en
laisse.

Pour lui donner sa douche (à l'eau tiède) il vaut
mieux demander l'aide d'une grande
personne.
Comme il ne faut surtout pas que de l'eau entre
dans les oreilles de ton chien, bouche-les avec
du coton.
Utilise un shampoing spécial et évite les yeux
et le museau.

Sèche-le bien dans une serviette et rappelle à
Maman de lui couper les griffes de temps en
temps.

LES MALADIES.

Entre 3 et 6 mois, les chiots doivent être vaccinés contre certaines maladies :
la maladie de Carré (ne pas oublier les piqûres de rappel)
la rage
les leptospiroses (ou typhus)
l'hépatite contagieuse
la parvovirose (chaque année)

Si ton chien manque d'appétit, dort de façon inhabituelle, semble fatigué, vomit, a de la diarrhée ou présente d'autres symptômes te faisant penser qu'il est malade, emmène-le chez le vétérinaire, car lui seul peut le soigner.

Et s'il se gratte beaucoup, examine soigneusement son ventre car c'est là qu'apparaissent en premier les puces et les poux.
Il existe des remèdes assez efficaces, sous forme de poudre, que le vétérinaire te conseillera.

Tu peux aussi lui faire porter un collier antiparasite pour le protéger.

UN CHIEN OU UNE CHIENNE ?

Chaque sexe a ses avantages et ses inconvénients.

2 fois par an, la chienne a ses chaleurs ou chasses, qui durent une vingtaine de jours.

Pour éviter qu'elle laisse des taches de sang, on peut lui faire porter une petite culotte garnie de coton.

Si tu souhaites que ta chienne ait des petits, il faut attendre l'âge de 18 mois au moins.

Tu la mettras alors en présence d'un mâle de même race et les chiots naîtront au bout de 2 mois.

Il faut bien nourrir la future mère, mais pas trop.
Consulte le vétérinaire qui te donnera des conseils pratiques pour l'accouchement.

Ton chien vivra à tes côtés pendant 10 à 15 ans environ, et sa présence t'apportera beaucoup de joie.

Il faut le soigner et l'aimer pour qu'il reste ton compagnon fidèle.

LES TORTUES.

la tortue grecque

le terrapin (ou tortue peinte)
aux oreilles rouges

La tortue.

Tortues aquatiques :
le terrapin (ou tortue peinte) aux oreilles rouges
Tortues terrestres :
la tortue grecque
la tortue mauresque
la tortue du désert

Si tu gardes ta tortue dans un appartement, il faut lui trouver une maison; une cage vitrée par exemple, un bac en verre (c'est ce qu'il y a de mieux), ou encore une boîte très solide, avec de hautes parois percées de très gros trous.

Par contre, si tu as un jardin et s'il est bien clôturé, tu peux sans crainte laisser la tortue circuler librement; bien qu'elle n'aille pas vite, elle adore explorer : c'est une vagabonde.

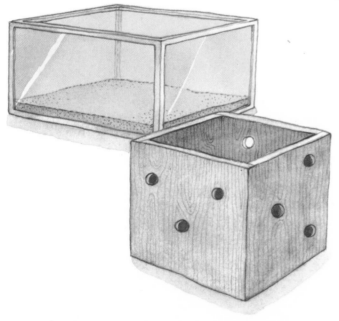

Ne sois pas étonné si, au cours de ses promenades, elle se régale de temps à autre de certaines fleurs qui lui paraissent particulièrement délicieuses.

Garnis le fond avec du papier journal que tu changeras très souvent, ou avec du gravier.

La tortue sera ravie de pouvoir se promener en liberté dans tout ton appartement, mais pour la nuit et à certains moments de la journée tu la mettras dans sa maison.

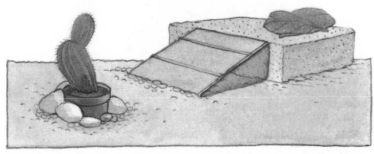

Aménage le bac avec un morceau de liège, un plan incliné et un cactus miniature.

La tortue est un reptile à sang froid qui craint la chaleur et le froid : en été, mets-la à l'ombre, et la nuit, veille à ce qu'elle soit bien protégée, dans son enclos ou à l'intérieur.

L'ALIMENTATION.

Toutes les tortues terrestres sont
végétariennes, c'est-à-dire qu'elles ne
mangent ni viande ni poisson.
Leur appétit et leurs goûts changent avec les
saisons.

Mets un petit abreuvoir à sa portée et change
l'eau tous les jours.
Elle aime, coupés en lamelles :
les salades diverses,
les carottes, le chou,
les épinards,
l'oseille, le concombre,
les tomates,
le pissenlit,
le trèfle.

Comme dessert, elle accepte des fruits bien
mûrs, coupés en petits morceaux :
pommes,
bananes,
fraises,
mais pas d'oranges, de citrons ni de
pamplemousses.
Elle apprécie aussi le pain trempé dans du lait,
le riz cuit ou un os de seiche.

L'HYGIÈNE.

La tortue adore l'eau et tu peux lui donner un
bain 2 fois par semaine.

L'eau doit être tiède et ne pas dépasser le
bord de sa carapace.

Il ne faut pas utiliser de savon, mais seulement
lui frotter très doucement le dos avec une
éponge.

LES SOINS.

Si tu t'occupes bien de ta tortue, elle peut vivre jusqu'à 25 ans et même au-delà.

Il faut surtout en prendre soin au moment où elle va hiberner.
Comme elle vient des pays chauds, c'est dès l'automne qu'il faut lui trouver un endroit sec et pas trop froid où elle pourra passer l'hiver.

Si la tortue a l'habitude de vivre dans le jardin, elle choisira elle-même un emplacement où il y a de la terre meuble.
Surveille-la régulièrement car, si le temps se radoucit malgré l'hiver, elle risque de se réveiller et d'avoir faim.

Par contre, dans l'appartement, tu lui prépareras une hibernation artificielle.
Dès que tu t'apercevras que son rythme et son appétit ralentissent, tu l'installeras dans une caisse garnie d'une épaisse couche de sable ou de terre meuble, avec quelques feuilles mortes ou de la paille.

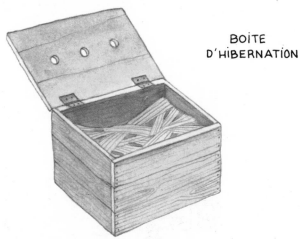

BOÎTE D'HIBERNATION

Elle a besoin de toutes ses forces pour passer l'hiver; donne-lui à manger plusieurs fois par jour jusqu'à ce qu'elle s'endorme complètement.
Vérifie alors que tout est propre et qu'il n'y a pas de restes de nourriture.
Pose un couvercle avec de grands trous d'aération sur la caisse.

Au début du printemps, porte la caisse dehors ou près d'un lieu ensoleillé, place l'abreuvoir à l'intérieur ainsi que quelques fruits secs ou des petits pois.

Trouve un endroit où la tortue ne sera pas dérangée ni déplacée, un endroit sec, mais frais, à l'abri des courants d'air et du gel, où la température ne risque pas de varier.

Il faut surtout ne pas être pressé et attendre que la tortue se réveille naturellement.

Si ses paupières sont collées après l'hibernation, donne-lui un bain d'eau tiède.

SON PORTRAIT.

Le meilleur moment pour acheter une jeune tortue est la fin du printemps.

Elle grandit pendant presque toute sa vie. On la considère comme adulte lorsqu'elle a environ 10 ans.

Sa belle carapace à dessins, qui lui sert de maison, est très robuste.
Elle est faite de couches osseuses assez lourdes, ce qui explique peut-être pourquoi la tortue est si lente.

RENSEIGNEMENTS UTILES.

Si possible, achète 2 tortues au lieu d'une seule : elles semblent apprécier la compagnie.

Tu reconnaîtras le mâle à sa queue plus longue et plus épaisse à la base.

A la place des dents elle a un bec corné.

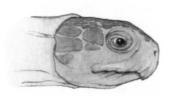

Les tortues sont toutes timides, mais s'apprivoisent facilement et prennent vite de l'assurance.

La tortue n'a pas d'oreilles externes, mais possède une ouïe très développée qui lui permet de reconnaître des bruits familiers autour d'elle, et même ta voix.

Attention : les tortues ne voient pas très bien, alors ne laisse pas la tienne se promener en hauteur car elle risque de tomber.

Avant d'acheter une tortue, examine bien sa carapace qui ne doit pas présenter de traces d'usure et vérifie que ses narines et ses yeux ne coulent pas.

Pour avoir une idée de son âge, observe les cercles de croissance sur sa carapace et l'usure de ses ongles.

LES MALADIES.

Les maladies les plus courantes sont les lésions de la carapace dues au manque de vitamines et de calcium.

Elle peut souffrir de troubles digestifs tels que diarrhée ou constipation, ou d'affections causées par des tiques ou à des vers.

Consulte ton vétérinaire dès que tu vois apparaître des symptômes de maladie et il te donnera un traitement pour la guérir.

LA TORTUE AQUATIQUE.

L'espèce la plus répandue est le terrapin aux oreilles rouges.
C'est une tortue d'eau douce avec une carapace aplatie et des griffes pointues.
Elle a des stries vertes et jaunes, non seulement sur le dos, mais aussi sur les pattes, la queue et la tête.
Elle a également 2 pointes rouges de chaque côté de la tête, c'est pourquoi elle porte ce nom.

SA MAISON.

Il faut la mettre dans un aquarium-terrarium, c'est-à-dire un grand bac en verre avec de l'eau, du gravier au fond, quelques plantes, un plan incliné, et des pierres (ou des briques) disposées de telle sorte qu'elles dépassent le niveau de l'eau.

Trouve une pierre lisse et plate qui lui servira d'assiette.
Tu dois changer l'eau tous les 3 jours.

L'ALIMENTATION.

Une jeune tortue mesure à peine 4 centimètres de long.

Elle grandit et grossit très lentement.
Même si elle semble très petite, il faut toujours l'installer dans un grand bac en verre car elle grandit en fonction de la taille de l'aquarium.

Il faut la nourrir un petit peu 2 fois par jour.

Donne-lui un assortiment de
viande crue,
poisson frais,
crevettes,
vers,
escargots,
un peu de laitue de temps en temps,
le tout hâché fin.

Si elle ne mange pas tout, enlève les restes pour qu'ils ne salissent pas l'eau de son aquarium.
Enrichis ses repas de vitamines et de farine d'os, surtout en hiver.

LES SOINS.

Empêche-la d'hiberner (c'est-à-dire de se retirer dans sa carapace) en la mettant près d'une source de chaleur.
Elle adore prendre des bains de soleil et peut rester assoupie pendant des heures.

Si sa carapace devient molle, c'est à cause d'un manque de calcium dans son eau.
Il faut alors lui en donner sous forme de médicament.

Elle peut vivre pendant des années et des années, et ne grandira jamais au-delà de 25 cm.

Une fable prétend que les tortues enlèvent leur carapace, mais ce n'est pas vrai : elle fait partie de leur corps comme notre peau fait partie de nous-mêmes.
Si tu sors une tortue de sa carapace, elle meurt.

la perruche ondulée

le serin (ou canari)

L'oiseau en cage.

Contrairement à ce qu'on pense, garder des oiseaux en captivité n'est vraiment pas cruel. Ils sont accoutumés depuis très longtemps à vivre en cage.
Ils y sont nés et y ont été élevés; si on les laissait en liberté ils ne survivraient pas longtemps.

LES ESPÈCES.

Seuls les canaris, les perruches et certains perroquets nains peuvent vivre en cage.
Il faut bien veiller à ne mélanger que les espèces qui s'entendent entre elles.

Les serins domestiques (ou canaris) viennent des Iles Canaries.
Attention : seuls les mâles peuvent chanter.
Les meilleurs chanteurs sont les canaris du Hartz, les canaris Malinois et les canaris Border.
Ils sont généralement jaune pâle, mais peuvent être aussi bleus, blancs, rouges ou verts, avec un bec petit et pointu.
Ils peuvent vivre en moyenne 9 à 12 ans.

Leur chant et leurs couleurs t'enchanteront.

Les perruches viennent d'Australie.
Ce sont de petits oiseaux de toutes les couleurs, avec une très longue queue et un bec recourbé.
Elles sont très robustes et très acrobates.
Elles peuvent vivre 7 ans environ.
Il y a, par exemple : la perruche sauvage, la perruche à tête prune, la perruche arc-en-ciel.
Pour choisir ton oiseau, demande les conseils d'un spécialiste dans une oisellerie.
N'achète qu'un oiseau né en volière.

La réglementation d'importation exige qu'il porte une bague à la patte, ce qui facilite son identification.

L'ANATOMIE.

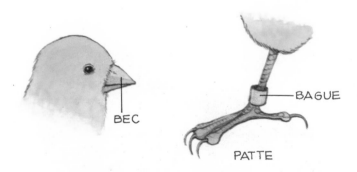

BEC

BAGUE

PATTE

Les oiseaux sont les seuls animaux à plumes. Il existe des plumes de toutes sortes.
Les pattes ont 3 doigts et 1 pouce qui sont terminés par des griffes.
Le bec, dont la forme varie selon l'espèce, n'a pas de dents.
Les oiseaux s'en servent pour se nourrir, faire leur toilette, construire leur nid, etc...

Pendant les 3 premiers mois, il faut soigner attentivement les oiseaux, car c'est la période pendant laquelle ils s'habituent à leur nouveau régime et à une nouvelle température.

COMMENT CHOISIR LA CAGE ?

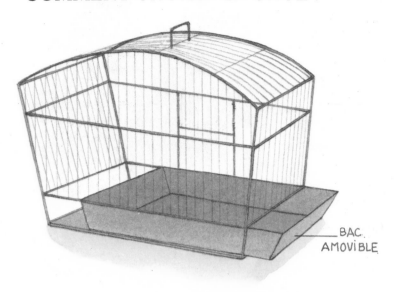

BAC AMOVIBLE

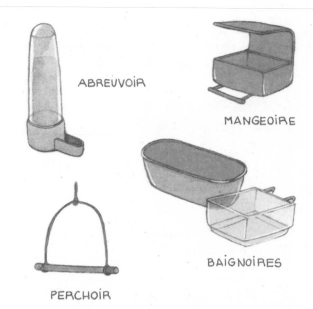

ABREUVOIR

MANGEOIRE

PERCHOIR

BAIGNOIRES

Tout d'abord, elle doit être aussi grande que possible, selon l'espèce et la taille de ton oiseau.

Elle doit être rectangulaire et plus large que haute.

Une fois que tu as choisi son emplacement, il ne faut plus la bouger (sauf par temps doux, où les oiseaux apprécient de passer 1 heure ou 2 à l'air frais, près d'une fenêtre ouverte, dans un jardin ou sur un balcon).

UN ÉLÉPHANT QUI SE BALANÇAIT!

Le mieux, ce sont les cages à parois pleines, avec une façade en métal chromé et une porte.
Il faut y mettre 2 perchoirs à des hauteurs différentes, espacés (à chaque bout de la cage), et pas trop minces pour que l'oiseau ait une bonne prise.

Place toujours la cage en hauteur, dans un endroit bien éclairé et sans courants d'air.

A l'intérieur, installe une mangeoire, un abreuvoir à gravité, un râtelier à verdure, une baignoire, un godet à graines, une balançoire et peut-être des clochettes (ou un autre jeu comme un miroir mobile ou une échelle).

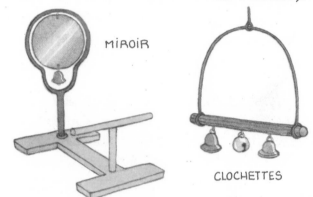

MIROIR

CLOCHETTES

Garnis le dessous des perchoirs avec du papier de verre, ce qui aidera l'oiseau à aiguiser ses griffes.

BONNE NUIT!

Essaie de ne pas trop encombrer la cage.
Le soir, recouvre-la avec un morceau de tissu foncé pour l'isoler de la lumière.

Renouvelle tous les jours le contenu du plateau amovible qui est recouvert d'une couche de sable ou de sciure de bois.

Fais le ménage à fond 1 fois par semaine, en lavant à l'eau savonneuse les barreaux, les perchoirs, les parois, le plateau et toute la vaisselle.
Vérifie tous les soirs que tu as jeté les restes de nourriture.

L'ALIMENTATION.

GRAPPE DE MILLET

Elle se compose essentiellement d'un mélange de graines.
Les oiseaux sont faciles à nourrir et aiment bien manger.
Il faut les alimenter 1 fois par jour, tous les jours, et changer leur eau en même temps.

On peut acheter dans le commerce des graines préparées (lin, millet, navette, etc.).

Pour varier, donne-leur de la verdure non lavée : laitue, carottes râpées, cresson, mâche, chicorée.

EN QUARANTAINE

Il est très pratique d'avoir une deuxième petite cage pour garder les oiseaux pendant que tu fais le ménage, que tu les soignes, ou pour garder en quarantaine, pendant 10 jours, un nouveau pensionnaire (afin de protéger les autres d'une éventuelle contagion).

Comme dessert : des fruits (oranges, pommes, poires, cerises, raisins).
Leur régal : des biscuits secs tels que biscuits à la cuillère, petits beurres, etc.

OS DE SEICHE

Il est très important d'accrocher un os de seiche dans la cage pour que les oiseaux y fassent leur bec et le nettoient. Cet os est indispensable à leur croissance.

Pour éviter le manque de calcium, donne-leur également des coquilles d'œuf bien écrasées.

LES SOINS.

Les canaris prennent un bain tous les jours.
Il faut remplir à moitié la baignoire avec de
l'eau tiède et la vider pendant la journée pour
éviter que les oiseaux soient mouillés le soir.

Ils adorent le moment du bain et en font une
fête en s'éclaboussant.

Au moment de la mue (changement de
plumage), le plus souvent en juillet et août, il
faut faire faire très attention à placer la cage
dans un endroit où la température est toujours
la même.

Ajoute à l'alimentation des jaunes d'œufs durs
émiettés et des vitamines.

LES MALADIES.

Les maladies les plus courantes de l'oiseau
sont : la constipation, la diarrhée et les
troubles digestifs.
Un bon régime et de la chaleur peuvent le
guérir.
Mais si tu t'aperçois que ses plumes sont en
mauvais état, qu'il est apathique et n'a pas
envie de manger, emmène-le chez le
vétérinaire aussitôt.

L'EXERCICE.

Il faut que ton oiseau exerce ses ailes
régulièrement.

Avant d'ouvrir la cage, vérifie qu'il n'y a pas
d'autres animaux domestiques dans la pièce,
que toutes les portes et fenêtres sont fermées
et que le passage de la cheminée est bouché.

Veille à tirer les rideaux et à allumer la
lumière pour qu'il ne risque pas, en volant, de
heurter les vitres transparentes.

Il est préférable de le lâcher avant son repas.

Au début, il sera peut-être difficile de le
remettre en cage.
Mais au bout d'un certain temps, il s'habituera
et ira tout seul.

Pour le capturer, sers-toi d'un filet à papillons
ou d'un vieux chapeau en feutre.

Pour le tenir, prends-le fermement mais avec
précaution, les ailes pliées, le pouce et l'index
de chaque côté de sa tête.
Surtout, ne le serre pas.

L'ÉDUCATION.

4 à 5 jours après son arrivée chez toi, l'oiseau peut commencer à faire ta connaissance.

Approche-toi lentement de sa cage, en parlant doucement; répète son nom plusieurs fois.

Ensuite, pendant plusieurs jours, laisse ta main quelques minutes à l'intérieur de la cage : très vite, il comprendra, et utilisera ton doigt comme perchoir.

Lorsqu'il se sentira très à l'aise, il se posera sur ton épaule, ta tête, partout même !

Il faut beaucoup de patience pour lui apprendre à parler.
Donne-lui de courtes leçons.

Apprends-lui un par un des mots simples.
Ne sois pas trop sévère avec ton élève : cela prend du temps.

LE COUPLE ET LES ENFANTS.

Vers le mois d'avril arrive la saison de la reproduction.
Pose un nichoir en vannerie dans la cage.

La mère pondra un œuf par jour jusqu'à ce qu'il y en ait 4 ou 5.
Pendant qu'elle couve, surveille son alimentation et donne-lui des vitamines.

Les petits vont naître entre le 12ème et le 14ème jour.

Au début, les parents leur donneront tous les soins nécessaires.
Mais, par la suite, tu dois prendre les petits en charge et demander des conseils à ton vétérinaire pour les élever.

En règle générale il est plus sympathique de garder un couple.

Le « hamster doré »

Le hamster.

Parmi les rongeurs, certains sont devenus des animaux familiers.

Le « hamster doré » est celui qui se laisse le plus facilement apprivoiser.

Il mesure environ 10 centimètres et pèse de 200 à 400 grammes.

Sa fourrure est de couleur brun-roux, et gris-blanc vers le ventre.

Il est plutôt calme, affectueux et sociable.

Mais attention, c'est un rongeur assidu qu'il ne faut pas laisser s'échapper.

LA CAGE.

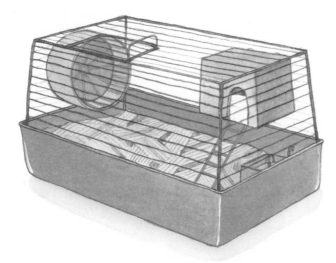

Le hamster est un animal propre et sans odeur. Il lui faut une cage en métal avec un fond en plastique amovible garni de sciure ou de copeaux.

Mets à sa disposition du foin, des bouts de chiffon, du papier ou du coton, avec lesquels il construira son nid pour dormir.

Tu peux acheter dans le commerce un vrai petit nid, ou tout simplement lui proposer une petite boîte, peu profonde et sans couvercle.

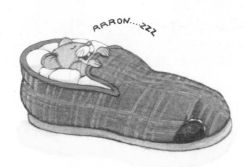

Il a besoin d'une mangeoire et d'un abreuvoir à gravité dans sa cage.

Ce qui est vraiment indispensable, c'est un morceau de bois dur à ronger, pour qu'il use ses dents. Il doit être changé souvent.

Pour jouer et prendre de l'exercice, il sera ravi d'avoir un tourniquet, une échelle, une roue, et même quelques jouets (une vieille bobine vide ou une coquille de noix).

ABREUVOIR

ÉCHELLE

MANGEOIRE

Choisis bien l'endroit où tu placeras la cage : le hamster est très sensible aux courants d'air et à l'humidité.

L'ENTRETIEN.

Toutes les semaines, nettoie la cage à fond avec de l'eau savonneuse.

N'oublie pas de changer la litière tous les jours.

L'ALIMENTATION.

Le hamster mange de tout.

Achète un mélange de graines comme blé, orge, soja, tournesol. Une cuillerée à soupe suffit.
Pour varier, donne-lui des légumes crus : salade, chou, cresson, carottes, etc. Il faut bien les laver et les sécher avant.
De temps en temps, propose-lui de tout petits morceaux de viande crue, ou de fromage.
Comme dessert, des noix ou un peu de pomme.

Un repas par jour vers la fin de la journée devrait suffire.

N'oublie pas de lui donner de l'eau fraîche dans son abreuvoir.

De temps à autre, il appréciera un petit bol de lait.

Prévoyant de nature, le hamster fait des réserves de nourriture dans les poches de ses joues.
Il se pose sur son train arrière et utilise ses pattes de devant pour manger; ses joues se mettent à gonfler et, plus tard, il ira déposer une grosse partie de son menu dans sa réserve.

Pour cette raison, il faut l'encourager à manger d'abord les aliments qui ne se conservent pas, et ensuite les autres, qui pourront être mis de côté, pour beaucoup plus tard.

Ne touche pas cette nourriture car le hamster n'en aurait plus envie.
Veille à lui donner des aliments toujours bien frais.

Pour ne pas courir le risque que ces débris de nourriture pourrissent, il faut tout de même périodiquement lui enlever très discrètement sa réserve.
Aussitôt il en recommencera une nouvelle.

Des réserves abondantes te permettront de le laisser tout seul, avec de l'eau fraîche, pendant 2 à 3 jours.

Fais attention à ce qu'il n'avale rien de pointu, cela pourrait abimer la peau de ses « joues à réserve ».
Et surtout, pas de chocolat !

SON PORTRAIT.

Un peu méfiant, mais très curieux, le hamster peut vivre 2 ou 3 ans.
Il est agile — surtout en fin d'après-midi — et peut faire la fête toute la nuit.
Alors, ne l'installe pas dans ta chambre !

Les mâles ont tendance à être moins capricieux qué les femelles, mais il faut toujours en garder un seul à la fois dans la cage, sans quoi, il se battent.

Pour connaître la différence entre un mâle et une femelle, regarde la queue : celle de la femelle est arrondie et celle du mâle est allongée.

Quand le hamster aura confiance en toi, il deviendra affectueux, mais il aime bien être traité avec respect !

EXERCICE.

Pour le manipuler, prends-le doucement dans ta main par-dessous.

Ne le laisse jamais courir en liberté sans surveillance.

J'ADORE TOUT CE QUI ROULE !..

Etant donné qu'il est myope, veille à ce qu'il ne se trouve pas sur une table ou un autre endroit élevé : il risque de tomber et de se faire mal.

BAISSE-TOI! TU ES TROP GRANDE POUR MOI!

Prendre de l'exercice est important pour lui et il sera ravi de jouer avec toi par terre.

ET VOILÀ! J'AI ENCORE FAIT TOMBER MES LUNETTES!

LES SOINS.

Sujet aux rhumes et plutôt frileux, évite à ton hamster les changements de température.

De temps en temps, tu peux lui mettre de la poudre insecticide (autre que du DDT) employée pour les oiseaux.

Il fait sa toilette lui-même et tu remarqueras qu'il insiste sur un point précis de son ventre : il y a là une petite glande qui secrète régulièrement un peu d'huile que le hamster étale sur toute sa fourrure.

Lorsqu'il se met en boule et que son poil se hérisse, cela veut dire qu'il ne se sent pas bien.

S'il refuse toute nourriture, emmène-le chez le vétérinaire afin qu'il te conseille.

Voici quelques poissons très connus,
robustes et peu coûteux :

le barbue

la bouvière

le téléscope

le cyprin doré

le queue de voile

le comète

Le poisson rouge.

Il y a plus de 30 000 espèces différentes, divisées en 3 catégories, selon la témpérature de l'eau dont elles ont besoin.
Les poissons d'eau douce, tempérée, ou même froide.
Les poissons tropicaux et exotiques.
Les poissons de mer.

Les poissons rouges appartiennent à la première catégorie.
Si tu en achètes plusieurs (c'est bien plus joli), il faut demander l'aide du vendeur : il est important qu'ils soient tous à peu près de la même taille et qu'ils s'entendent entre eux.

Les poissons sont fascinants.
On peut les regarder évoluer pendant des heures et des heures.
Ce sont de merveilleux sujets d'observation, à la fois décoratifs et distrayants.
Peu coûteux, peu exigeants, c'est idéal pour ceux qui disposent de peu d'espace chez eux.

L'ANATOMIE.

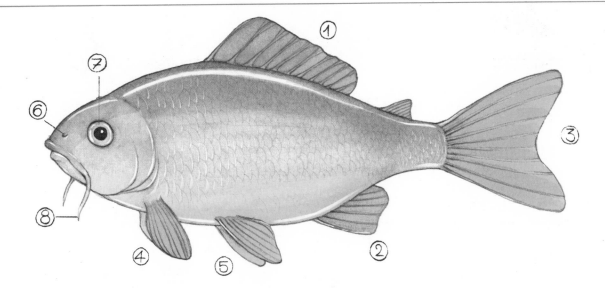

Le poisson a des écailles sur la peau et 5 nageoires.
N° 1 : la nageoire dorsale qui tient son corps bien droit
N° 2 : la nageoire anale qui aide à son équilibre

N° 3 : la nageoire caudale qui lui sert à avancer
N° 4 et N° 5 : les nageoires pectorales et ventrales qui servent de frein

Le poisson est muet, mais pas sourd, il sent les odeurs par les narines (N° 6).
L'œil (N° 7) reste toujours ouvert et n'a pas de paupière.
Quelques poissons ont des barbillons, parfois très longs (N° 8).

A sa naissance le poisson « rouge » n'est pas rouge, mais brun.
Ensuite sa robe change et devient peu à peu blanche.
Des taches rouges apparaissent et s'agrandissent.
Vers 2 ans il prend une couleur rouge uniforme.

Il vaut mieux ne pas manipuler les poissons car ils sont protégés par une couche de mucus. Tu risques de l'enlever et de provoquer une infection.
Il vaut mieux ne pas manipuler les poissons car ils sont protégés par une couche de mucus. Tu risques de l'enlever et de provoquer une infection.

L'AQUARIUM.

Si tu décides de faire un aquarium, il faut l'aménager une bonne semaine avant d'acheter les poissons.

Le plus important, dans un aquarium, c'est l'oxygène : il est indispensable à la survie du poisson.

L'eau absorbe l'oxygène de l'air à son contact. Il faut donc un aquarium à grande surface d'eau pour que l'oxygène se renouvelle bien. Ne surcharge pas l'aquarium de poissons; compte 8 à 10 poissons pour 25 litres d'eau, 10 à 15 poissons pour 45 litres.

Tu peux utiliser un bocal à grande ouverture, mais surtout pas de boule.

Le mieux, ce sont les aquariums rectangulaires, soit en plastique, soit en métal.

Avant de le remplir, choisis bien l'endroit où il sera installé, car une fois plein, il pèsera très lourd et tu ne pourras plus le bouger.

Ne le mets ni sur un rebord de fenêtre, ni dans un courant d'air, mais dans un endroit sec, frais et bien éclairé.

Veille à le poser sur un meuble solide. Une couche de polystyrène empêchera le verre de se casser.

Place un couvercle de façon à laisser passer l'air, mais à éviter l'évaporation et la poussière.

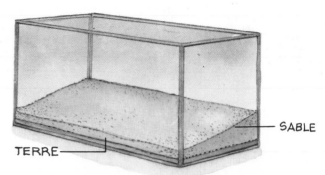

Rince et nettoie l'aquarium à l'eau propre. Etale une mince couche de terre de bruyère. Mets une couche de sable de rivière en pente vers l'avant.

Lave des graviers et pose-les par-dessus.

Ajoute des rochers ou des blocs de quartz, bien calés et non pointus.

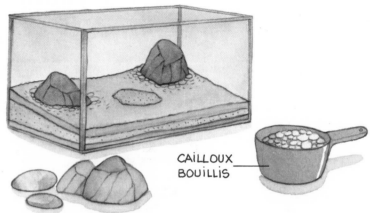

Si tu utilises des pierres du jardin ou de la plage, il faut d'abord demander à ta Maman de les faire bouillir.

Laisse au milieu un petit espace vide, en forme d'oasis de sable.

Remplis un seau avec l'eau du robinet et laisse-la tiédir pendant 12 heures dans la pièce où est installé l'aquarium.

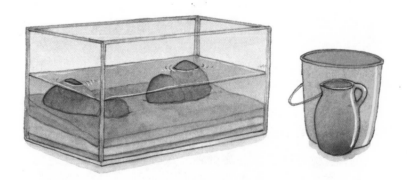

Le lendemain, pose une grande soucoupe à l'envers dans l'aquarium, pour empêcher l'eau de défaire la décoration. A l'aide d'un pichet verse à peu près la moitié de l'eau.

Maintenant, installe les plantes aquatiques.

Choisis celles qui vivent bien dans l'eau tempérée : la vallisneria, les sagittaires, les myriophylles, les ludwigies.

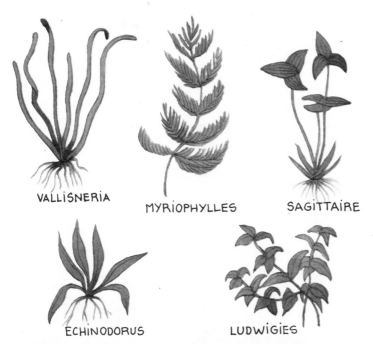

VALLISNERIA   MYRIOPHYLLES   SAGITTAIRE

ECHINODORUS   LUDWIGIES

Poses-en quelques-unes dans les angles pour masquer les coins en métal; mets les plus petites devant et les plus grandes derrière.

Cale bien les plantes en enfonçant les racines dans la terre de bruyère.

Ensuite, finis de remplir l'aquarium avec le reste de l'eau du seau; ne dépasse pas le niveau de la cornière supérieure.

Il faut compter au moins 3 ou 4 jours pour que les plantes « reprennent ».

J'AURAIS VU UNE VALLISNERIA DANS LE FOND...

Fais un petit plan ou une maquette avant de commencer la décoration de l'aquarium; il y a plusieurs façons de disposer les plantes, les rochers, les pierres, etc.

Il faut souvent un certain temps pour établir un équilibre et un cycle de vie entre les poissons et les plantes.

Les poissons absorbent l'oxygène et rejettent du gaz carbonique. C'est l'ensemble lumière-plantes qui retransforme ce gaz en oxygène.

LUMIÈRE

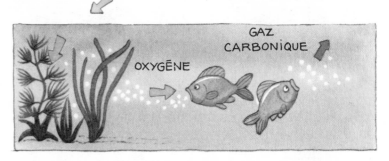

GAZ CARBONIQUE

OXYGÈNE

Une fois ce cycle établi, les poissons peuvent vivre et se reproduire pendant des années.

L'ENTRETIEN.

Surveille bien le niveau et la clarté de l'eau. En principe tu n'as pas besoin de changer l'eau. De temps en temps, il faut en rajouter un peu à l'aide d'un siphon en caoutchouc.

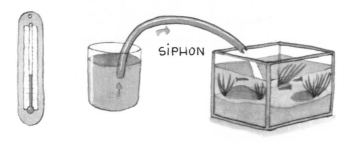

Mais attention, l'eau doit être exactement à la même température que celle de l'aquarium.

Si l'eau devient verte ou grise, ou si elle brunit, il faut demander à une personne qualifiée de t'aider; il peut y avoir plusieurs raisons à cela : trop ou pas assez de plantes, trop ou pas assez de lumière.

L'ALIMENTATION.

La règle d'or est de donner plutôt pas assez de nourriture que trop.

Alimente-les 2 fois par jour en petites quantités.
Tout doit être mangé en 4 ou 5 minutes.
S'il y a des restes, diminue les portions.

Si les vitres se salissent, nettoie-les avec un râcloir ou frotte-les avec du coton.
Tout ustensile utilisé doit être parfaitement propre.

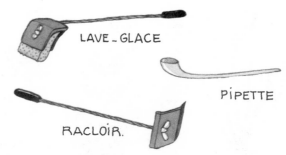

Les déchets et les restes de nourriture seront soigneusement et doucement enlevés à l'aide d'une pipette.

Tu peux mettre des têtards ou des mollusques pour qu'ils aident à garder l'eau claire.

Le régime doit être très varié.
Il y en a deux sortes, vendues partout dans le commerce :
a) proies vivantes : puces d'eau, vers, daphnies, œufs de fourmi;
b) aliments séchés sous forme de granulés ou miettes : abats de boucherie, huîtres et moules, farine de céréales.

Ne laisse jamais de pain dans l'eau : c'est nocif pour les poissons.

SOINS ET MALADIES.

Sers-toi d'une épuisette pour transvaser les poissons.

L'eau du nouveau bocal doit être à la même température que celle de l'aquarium.

LA TEMPÉRATURE IDÉALE EN EAU DOUCE EST CELLE DE TA CHAMBRE.

Dès que tu t'aperçois que l'un des poissons nage de travers, comme s'il était ivre, mets-le en quarantaine : isole-le en l'installant dans un petit bocal.

Encore une fois, attention à la température de l'eau.

L'apparition de taches, le gonflement du ventre, des mouvements désordonnés sont d'autres signes de maladie.

Ton vétérinaire te dira ce qu'il faut faire (par exemple, bain de sel ou régime spécial).

Pour soigner un poisson, mets-le dans un sac en plastique rempli d'eau tempérée.

Perce un trou au fond. Lorsque l'eau s'est écoulée, applique le produit et remets aussitôt le poisson dans l'aquarium.

Une bonne précaution à prendre lors de tout achat de poissons : les mettre en quarantaine pendant 4 semaines avant de les ajouter aux autres.

LA REPRODUCTION.

Les poissons rouges peuvent se reproduire à partir de 2 ans.
Cela se passe 1 fois par an, généralement au printemps.

C'est à ce moment-là que tu peux reconnaître le mâle : sur sa tête il y a de petites pointes blanches, « des tubercules ».
Le ventre de la femelle devient très gros car il est rempli d'œufs.

Une fois pondus, le mâle féconde les œufs en projetant de la laitance.

Au bout de 4 jours, les petits naissent, et il faut absolument les retirer de l'aquarium pour les mettre dans un autre (plus petit). Sinon, ils seront mangés.

Ton vétérinaire t'expliquera comment les nourrir et à quel moment tu pourras les remettre dans le grand aquarium.

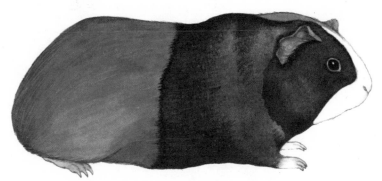

le cobaye anglais à poil ras

le cobaye abyssinien

le cobaye péruvien

Le cobaye.

Sais-tu ce que veut dire « être un cobaye » ?

Cela signifie, être sujet d'expérience, aussi bien pour un homme que pour un animal.

LES ESPÈCES.

Il y a 3 races principales :
— le cobaye anglais à poil ras — le plus répandu. Sa fourrure peut être blanche, noire, marron ou dorée. Certaines variétés ont un pelage tacheté, d'autres, de grandes taches de couleurs différentes.
— le cobaye abyssinien, moins robuste, à poil long. Ses poils poussent en forme de rosette.
— le cobaye péruvien, plus délicat, dont les poils très longs, fins et soyeux ont besoin d'un brossage journalier.

KOUÏÏÏ KOUÏÏÏ!

Le cobaye, appelé aussi « cochon d'Inde », est en fait un rongeur qui vient du Pérou (Amérique du Sud).

Il existe encore là-bas des cobayes sauvages dont les gens se nourrissent.

Apprivoisé en Europe, c'est un animal domestique tout à fait adorable, facile à soigner et peu coûteux à entretenir.

LOGEMENT ET ENTRETIEN.

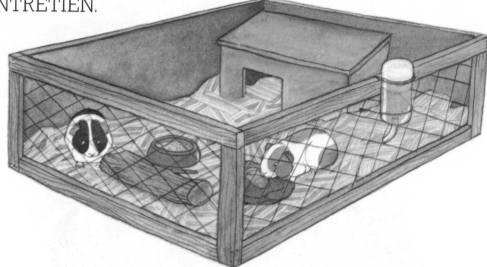

Le cobaye n'a pas d'odeur. Il peut très bien vivre dans un clapier dehors, sur le balcon, ou à l'intérieur, dans un clapier portatif.

Ce qui lui plaît énormément, c'est d'avoir un 2 pièces : une chambre à coucher, dont le sol en bois sera abondamment garni de foin ou de copeaux, et un salon, au sol également couvert de paille ou autre.

Il lui faut une mangeoire et un abreuvoir rempli d'eau.

Veille à ce que le sol soit imperméable car un cobaye urine beaucoup.
Il faut changer sa litière tous les jours.
Le ménage à fond, à l'eau savonneuse, est à faire 1 fois par semaine.

Comme tous les rongeurs, il a besoin d'un morceau de bois pour se faire les dents. Renouvelle-le souvent.

Tu peux aussi, en demandant l'aide d'un adulte, fabriquer toi-même un clapier à l'aide d'une caisse en bois et de grillage.

L'ALIMENTATION.

Le cobaye a un appétit prodigieux; il aime les repas variés et copieux.

Comme son estomac est petit, donne-lui un peu de nourriture plusieurs fois par jour.

Il doit avoir du foin de bonne qualité tous les jours.
Varie les menus avec des grains concassés, des flocons d'avoine, du blé, des céréales.
Ajoute de temps en temps une cuillerée à café d'huile de germes de blé, des légumes frais (surtout en hiver) tels que chou, salade, carottes, chicorée, petits pois, céleri, navets.
Comme dessert : des morceaux de pommes épluchés, des miettes de biscuits, une croûte de pain sec, de la chapelure.

Donne-lui de l'eau fraîche chaque jour et, de temps à autre, un morceau de sel à lécher.

J'AI TOUJOURS LES YEUX PLUS GRANDS QUE LE VENTRE !

GROUIKK !

Le cobaye ne doit pas manger trop de verdure; cela risque de provoquer des désordres intestinaux.

Néanmoins, donne-lui en un peu chaque jour, car la vitamine C qu'elle contient lui est indispensable.

SON PORTRAIT.

Docile, amical mais un peu timide, le cobaye aime la compagnie.
Il est généralement plus sympathique d'en garder une paire, plutôt 2 femelles que 2 mâles.
Les bruits forts et les gestes brusques l'effraient.
Pour se manifester, il couine.
Il émet des sons plus aigus quand il se sent en danger, et plus doux lorsqu'il exprime sa joie.

Il faut le prendre souvent dans tes mains pour qu'il ne soit plus craintif, en le saisissant doucement par-dessous.
Ne lui serre jamais l'estomac.

As-tu remarqué qu'il n'a pas de queue ?...

LES SOINS.

Le cobaye est rarement malade et n'a pas besoin de soins particuliers, à part le brossage, avec une brosse douce de bébé.

Il est tout de même préférable d'examiner régulièrement son pelage pour voir s'il n'y a pas de parasites.
Surveille aussi ses oreilles, ses dents et ses griffes.

Bien nourri et bien soigné, le cobaye peut vivre environ 3 ans.

FIRMIN-DIDOT S.A. – PARIS-MESNIL
Dépôt légal : mars 1982 – N° d'impression : 9412

Tous nos remerciements au Docteur
Jean-Marie Montaron.

Amuse-toi à dessiner ton animal sur cette page.